Introduction

Depuis les années 90 la tendance se confirme.

Qu'ils soient mariés ou non, les couples durent de moins en moins longtemps.

Les rencontres et le mariage n'ont plus rien à voir avec les couples de nos grands-parents qui restaient mariés pour toute une vie, et qui pourtant nous ont laissé en mémoire le souvenir de gens heureux de vieillir ensemble.

Combien d'entre nous ne sont pas choqués d'apprendre qu'un couple marié depuis plus de trente ans se sépare au moment d'arriver à la retraite ? Une fois les enfants élevés, le crédit immobilier remboursé au terme d'une longue carrière de labeur bon nombre de couples séniors traversent une crise se terminant de plus en plus fréquemment par un divorce.

Lorsqu'on les étudie de près, les statistiques de l'Insee font frémir :

-près de 130 000 divorces sont prononcés chaque année.

-45 % des mariages sont amenés à se terminer par un divorce.

-l'âge moyen des hommes qui divorcent est de 42 ans, et celui des femmes 44 ans.

Il semble que lorsque les relations sont confrontées à des difficultés, les couples ne prennent plus la peine de travailler à trouver des solutions ensemble.

La relation amoureuse est elle aussi confrontée au phénomène de consommation de masse et d'obsolescence programmée.

Tel un contrat à durée déterminée plus ou moins longue, les gens semblent renoncer et à accepter la rupture comme une fatalité.

Les rencontres se font également de manière différente. Contrairement à autrefois où les gens prenaient le temps d'apprendre à se connaitre avant de se fréquenter les relations d'aujourd'hui sont comme une course sans fin pour éviter tout sentiment de solitude. Les nouvelles technologies renforcent ce phénomène par la multiplication des applications de rencontres.

La génération de nos grands-parents a appris à connaitre les qualités et les défauts de son partenaire sans chercher à le changer. La clé du succès d'un couple serait-elle d'apprendre à se connaitre et à accepter l'autre tel qu'il est ?

Aujourd'hui les gens ne sont pas moins romantiques ou moins amoureux qu'avant. La différence tient au fait que les partenaires amoureux ne sont plus prêts à se battre pour qu'une relation dure.

Ils ne savent plus entretenir la flamme. La flamme est ce qui permet à un couple de perdurer et cela même lorsque celui-ci rencontre des difficultés (argent, chômage, baisse de libido, conflits familiaux …).

Une relation amoureuse de longue durée n'est pas un long fleuve tranquille.

Chaque relation est faite de hauts et de bas avec des difficultés plus ou moins importantes à surmonter en termes de communication et de gestion de la vie quotidienne (argent, tâches ménagères…).

C'est la capacité des deux partenaires à s'engager ensemble dans la durée et à surmonter les épreuves de la vie qui fait qu'une relation peut durer.

Il peut aussi arriver que les partenaires se séparent parce qu'ils ont l'impression que la flamme s'est éteinte et que les sentiments amoureux ont disparu.

Ils considèrent alors qu'ils sont attachés à leur partenaire qu'ils s'aiment bien mais qu'ils ne sont plus amoureux.

L'entretien de cette flamme est primordial pour faire perdurer un couple dans le temps.

Alors comment font les couples qui durent dans le temps ?

Quels secrets possèdent-ils ? La réponse est qu'ils travaillent tous dur pour que la relation perdure.

Ils acceptent qu'une relation est faite de hauts et de bas, de joies et de peines mais ils travaillent quand même à maintenir le romantisme dans la relation au quotidien.

Une relation durable n'est pas une relation que l'on consomme et que l'on jette lorsqu'elle ne semble plus aussi savoureuse.

Une relation durable se travaille dans la durée.

Voici 100 conseils pour vous aider dans cette voie pour renforcer votre relation et apporter de la couleur dans votre couple jour après jour, année après année.

Table des matières

1. Identifier les qualités qui vous ont plu chez votre partenaire et les lui rappeler 13
2. S'organiser pour partager des moments à deux 15
3. Le pouvoir du toucher 17
4. L'art de créer la surprise 18
5. Autoriser chacun à avoir son espace vital 18
6. Eviter les débats politiques 20
7. Encourager un dialogue sur son ressenti 20
8. Restaurer les traditions qui ont soudé la relation à ses débuts 21
9. Rompre la routine 22
10. Préférer les phrases positives même lorsque vous êtes en colère 23
11. Apprendre à faire le premier pas après une dispute 24
12. Rétablir une sexualité 25
13. Entretenir le cercle d'amis du couple 27
14. Célébrer chaque anniversaire comme un événement unique 28
15. Organiser de petites escapades en amoureux 28
16. Apporter du réconfort par une surprise apaisante 29
17. Un petit cadeau surprise emballé 30
18. Ecrire des petits mots doux 31
19. Se câliner 32

20. Servir un petit déjeuner au lit 32
21. Lui rappeler pourquoi on l'aime 33
22. Faire des baisers langoureux 35
23. Multiplier les actes de gentillesse et de générosité 36
24. Trouver un passe-temps commun 37
25. Prendre le temps d'écouter l'autre avec une attention véritable 37
26. Jouer comme des enfants ! 38
27. Se faire beau pour sortir 38
28. Dire « Je t'aime » 39
29. Partager les corvées 40
30. Savoir reconnaitre ses torts et s'excuser 41
31. Soyez vous-mêmes 42
32. Prendre soin de sa santé et encourager l'autre à en faire de même 43
33. Savoir faire des compliments 44
34. Accepter l'autre tel qu'il est 45
35. Ne pas chercher à fouiller le passé de son partenaire sur les réseaux sociaux 46
36. Apprendre de ses erreurs et ne pas les répéter 47
37. Organiser des projets ensemble 48
38. Créer votre boite à souvenir 48
39. Ne pas utiliser des fausses excuses quand vous n'avez pas envie de moments intimes 49

40. Surveiller la façon dont vous vous adressez à votre conjoint 50

41. Faire l'amour et apporter de la fantaisie dans la relation. 51

42. Couper les téléphones portables et les ordinateurs à la maison 52

43. Célébrer les anniversaires de mariage ou de début de la relation. 53

44. Contrôler sa colère 53

45. Affronter les soucis financiers ensembles sans tarder 54

46. Savoir pardonner 55

47. Proscrire les disputes en public 56

48. Entretenir des relations cordiales avec la belle famille 58

49. Demander conseil aux couples mariés depuis longtemps 59

50. Réaliser un calendrier avec les douze photos les plus marquantes de l'année 59

51. Offrir un cadeau fait maison 60

52. Préparer le repas favori de votre conjoint 60

53. Adopter un animal ensemble 61

54. Aller au cinéma ensemble 62

55. Prendre le temps de se promener dans un parc ensemble 62

56. Offrir une étoile 63

57. Offrir un carnet de coupons préremplis 64

58. Faire circuler l'énergie amoureuse par le feu 65
59. Réserver une nuit à l'hôtel 66
60. Créer un album photo pour votre compagnon (compagne) 66
61. Donner du sens aux cadeaux que vous faites 67
62. Construire l'arbre généalogique de la famille 69
63. Passer une journée ensemble au spa 69
64. Faire un don ensemble 70
65. Observer le mauvais temps bien au chaud 70
66. Prendre soin de vous-même 71
67. Etablir une relation de confiance 73
68. Garder le contact malgré la distance 74
69. Organiser une fête costumée chez vous 74
70. Utiliser le pouvoir de la musique 75
71. Essayer de nouvelles choses ensemble 76
72. Faire un geste pour une famille dans le besoin au moment de Noël 76
73. Célébrer l'anniversaire de la relation avec des mots d'amour 77
74. Faire un effort ensemble et s'offrir une récompense ensemble 78
75. Accepter le changement 79
76. Récolter ce que l'on sème 80
77. Organiser une soirée jeux de société 81

78. Ne pas laisser d'autres personnes interférer dans la relation. 82
79. Aimer son compagnon et lui dire pourquoi 83
80. Suivre son instinct 84
81. Être créatif 85
82. Regarder votre compagnon/compagne dans les yeux 85
83. En apprendre toujours plus sur l'autre 86
84. Changer les habitudes 87
85. Dancer pour vous rapprocher 88
86. Assister ensemble au lever ou au coucher du soleil 89
87. Visiter un nouveau lieu ensemble 89
88. Trier les informations que vous souhaitez partager sur votre passé 90
89. Respecter la vie privée de votre partenaire 91
90. Ne pas laisser de place aux abus 92
91. Faire le bilan de sa relation 93
92. L'herbe n'est pas plus verte ailleurs 94
93. Tenir un journal intime 95
94. Avoir l'esprit ouvert et rester flexible 96
95. Ne pas trouver de fausses excuses 97
96. Apporter de la spiritualité dans votre relation 98
97. Apprendre à gérer une relation s'apprend 98
98. Ne pas mélanger vie privée et travail 99
99. Encourager les amitiés 100

100. Respecter les secrets qui vous sont confiés 101

1. Identifier les qualités qui vous ont plu chez votre partenaire et les lui rappeler

Lorsque les couples se forment l'excitation de la nouveauté est à son paroxysme.

La satisfaction de la séduction mutuelle créée un effet lune de miel qui est renforcé par la stimulation chimique des hormones du cerveau.

L'ocytocine et les endorphines vont provoquer un sentiment puissant de plénitude et de bien-être donnant la sensation de vivre sur un petit nuage.

Le sentiment amoureux permet d'ignorer les défauts de l'autre au début d'une relation.

Cependant, cette excitation s'amenuise avec le temps allant parfois jusqu'à nous pousser à ne plus voir que les défauts de l'autre qui fait du bruit en mangeant, qui ne range jamais ses vêtements, ronfle, qui est pingre ou trop dépensier...

On finit parfois par ne voir que les défauts de l'autre sans être capable de voir que les qualités premières sont toujours là.

Pour raviver la flamme du début, il est important de vous rappeler les qualités premières qui vous ont plu chez votre partenaire et de le lui rappeler. Flatter l'égo de votre moitié l'aidera à se sentir apprécié et valorisé.

Il suffit parfois de porter une attention sincère à son partenaire en lui montrant qu'on l'apprécie pour renforcer le sentiment d'amour.

Pour encourager votre partenaire à faire de même et à réaliser à quel point vous êtes toujours unique, n'hésitez pas à lui demander les qualités qu'il/elle apprécie chez vous.

Etablir un discours positif stimulera les sentiments et émotions premières du début de la relation et le désir de recommencer à flirter pour se plaire mutuellement.

2. S'organiser pour partager des moments à deux
La vie quotidienne ne favorise pas toujours la vie de couple.

Le travail, l'arrivée d'un enfant ou le souci des parents âgés dépendants peuvent causer de la distance dans le couple.

Toutefois il est toujours possible de s'organiser pour passer un moment à deux en laissant ses soucis de côté.

Ces moments sont primordiaux pour entretenir la flamme et pour trouver un refuge auprès de l'autre. Cela ne demande pas forcément de grosses dépenses mais quelques actions simples :

-Partager un repas au moment de la pause déjeuner au parc pour passer un moment romantique à deux

-Organiser un repas à thème différent chaque week-end pour surprendre l'autre et découvrir ensemble de nouvelles saveurs (cuisine mexicaine, chinoise, antillaise…)

-Faire des randonnées dans la nature

-Pratiquer un sport ensemble

-S'investir dans une association ensemble (soutien scolaire, aide aux animaux…)

Chaque couple possède la capacité d'identifier une activité qui les rapprochera.

En passant du temps ensemble vous assurerez le maintien d'une communication saine en abordant tous les sujets.

3. Le pouvoir du toucher

Lorsqu'un enfant est malade et nécessite des soins parfois douloureux les médecins encouragent les parents à toucher l'enfant.

En effet, il est prouvé qu'un simple contact tactile apaise la douleur en entrainant la sécrétion des hormones du bien-être.

C'est ainsi qu'un parent peut facilement apaiser un enfant en situation de crise. Il en va de même pour les relations de couple.

Toucher son compagnon en jouant par exemple avec ses cheveux, lui tenir la main, déposer un doux baiser au creux de son cou pour stimuler une zone érogène générera une réaction d'affection en retour.

Toucher l'autre c'est établir une connexion énergétique avec lui. En lui procurant un sentiment de bien-être et de sécurité, vous contribuerez à entretenir le sentiment amoureux au sein de votre couple.

4. L'art de créer la surprise

Rien de tel pour entretenir ou raviver la flamme dans son couple.

Faire plaisir à son autre moitié en le surprenant contribuera à générer un sentiment de plaisir.

Vous pouvez par exemple acheter des places pour un concert ou un spectacle sur un thème qu'il ou elle affectionne particulièrement (moto, théâtre, foot, danse...).

Rien que l'idée que vous ayez pu penser à lui faire plaisir touchera votre partenaire en plein cœur lorsque celui-ci réalisera que vous l'écoutez toujours lorsqu'il vous parle des sujets qui l'intéressent.

5. Autoriser chacun à avoir son espace vital

Pour savoir mieux se retrouver, il est essentiel de conserver du temps pour soi et ses plaisirs personnels.

Si vous partagez une passion pour la même activité il n'est pas question de s'en priver au contraire.

Par contre si votre bien aimé adore la pêche ou la randonnée et que vous préférez assister à un cours de yoga ou à pratiquer votre séquence de foot au club local, il est essentiel de respecter les loisirs de l'autre.

Respecter les loisirs de son conjoint, c'est l'accepter tel qu'il est sans chercher à le changer.

Si votre conjoint trouve du plaisir dans son activité il aura d'autant plus de plaisir à rentrer vous retrouver et partager avec vous son expérience. Cela nourrira vos conversations et renforcera le lien de confiance qui vous unit.

N'oubliez pas qu'être en couple ne revient pas à posséder son partenaire ni à diriger sa vie.

6. Eviter les débats politiques

Combien d'entre nous ne se souviennent pas de réunions de familles s'étant mal terminées à cause des divergences d'opinions politiques ?

La politique entraine systématiquement des débats et donc des divergences d'opinions y compris dans un couple.

SI dans un couple l'un a une tendance de gauche et l'autre est plutôt de droite, ou que l'un a une âme plus écologique que son autre moitié, il est inutile de tenter de prouver par A plus B que vous avez raison.

Il est préférable d'éviter les conversations dérivant sur ce type de sujet.

7. Encourager un dialogue sur son ressenti

La vie quotidienne a tendance à nous pousser à développer l'habitude de parler de banalités tout particulièrement au moment des repas.

Au lieu de parler uniquement de la cuisson de la viande ou de la dernière facture à régler, il est indispensable de prendre le pouls émotionnel de son (sa) partenaire en lui demandant comment s'est passé sa journée, ce qu'il (elle) a fait au travail…

L'intérêt de l'écoute active montrera à votre partenaire que vous vous intéressez à sa vie.

Comprendre qu'il est important pour vous de savoir comment il va vous rapprochera et renforcera le sentiment d'être sur la même longueur d'ondes.

8. Restaurer les traditions qui ont soudé la relation à ses débuts

Au début de chaque relation chaque couple établit de petits rituels tels que sortir dans un restaurant favori, cuisiner un plat que l'autre aime, lui préparer un petit déjeuner spécial le jour de l'anniversaire de la rencontre…

Il est important de raviver le plaisir généré par ces petits rituels aussi souvent que possible en prenant du temps ensemble pour revivre ces bons moments.

La présence de petits rituels contribuera à rappeler au couple le bonheur d'être ensemble pour partager de bons moments.

9. Rompre la routine

Un des principaux facteurs entrainant la fin d'une relation est la prévisibilité du couple.

Pour redonner du souffle à une relation sur le déclin, il faut casser les habitudes.

Si votre compagnon adore passer ses samedi après-midi avachi sur le canapé pendant des heures n'hésitez pas à lui faire une surprise en lui préparant un petit plateau télé avec des clubs sandwich et une boisson.

Même si vous n'aimez pas regarder les matchs de foot, le fait de passer un petit moment sympathique avec lui rappellera que vous êtes là.

Il essaiera de vous faire plaisir en retour en prenant le temps de faire quelque chose que vous aimez vous aussi à un autre moment.

10. Préférer les phrases positives même lorsque vous êtes en colère

Lorsque les couples traversent un moment difficile dans la relation, chaque sujet étant sujet à controverse a tendance à provoquer des tensions importantes qui s'aggravent par le manque de communication.

Il est important pour qu'un couple traverse une période de crise qu'il continue à communiquer.

Pour ce faire, il est indispensable de prendre l'habitude d'approfondir ses pensées lorsque l'on dit quelque chose ou que l'on souhaite quelque chose au lieu de s'énerver.

Type de phrase accusatoire entrainant systématiquement des disputes car l'autre se sent dénigré :

« Je t'ai demandé de m'aider à nettoyer la maison cette semaine car mon emploi du temps est surchargé et je vois que tu ne l'as pas fait. On ne peut rien de demander. »

Au lieu de poursuivre la conversation et de la terminer telle une accusation prouvant que vous êtes déçu, il sera préférable d'embrayer sur une seconde chance :

« Je t'ai demandé de m'aider à nettoyer la maison cette semaine car mon emploi du temps est surchargé et je vois que tu ne l'as pas fait. Peut-être t'es-tu organisé(e) pour le faire aujourd'hui ? »

11. Apprendre à faire le premier pas après une dispute

Lorsqu'un couple se dispute fortement la communication se traduit souvent par une fâcherie débouchant sur une rupture de la communication.

Il est important d'éclaircir les conflits à chaque fois pour éviter que l'addition de conflits ne se transforme en rancune tenace.

Lorsque des couples rencontrent des problèmes relationnels importants il est primordial de restaurer une communication saine pour dissiper les malentendus et mettre fin au conflit.

Pour cela, il est important d'apprendre à faire le premier pas même si cela provoque un sentiment d'avoir son ego blessé.

Celui qui fera le premier pas devra arriver avec un état d'esprit positif pour inviter l'autre à une discussion positive.

Cela impliquera d'accepter d'écouter l'autre et de reformuler soi-même son ressenti quant au conflit opposant le couple.

Dans tous les cas, il sera essentiel de garder à l'esprit que cette discussion de réconciliation doit se passer dans une atmosphère sereine.

Même si vous êtes en désaccord, il conviendra de ne pas crier et de discuter calmement afin de trouver une solution ensemble.

12. Rétablir une sexualité

La sexualité d'un couple fonde la base du couple.

La sexualité génère une intimité qui agit comme une énergie fédératrice au sein du couple faisant sa force et autorisant les âmes à se sentir proches l'une de l'autre.

Ainsi la sexualité est essentielle. Lorsqu'une relation amoureuse est en péril, il est essentiel de travailler sur le rétablissement de la sexualité.

Même si cela peut représenter une épreuve pour certains, le rétablissement de la sexualité fait partie intégrante du processus de guérison du couple.

Le rétablissement de la sexualité pourra passer par la création d'une ambiance feutrée et intime autour d'un dîner à la bougie à la maison, suivie d'un bon massage aux huiles parfumées sans que cela ne génère de pression sur le couple.

Un fond musical doux saura apporter un relâchement de la pression et de l'anxiété lié à l'événement.

13. Entretenir le cercle d'amis du couple

Pour qu'un couple ne gravite pas que sur lui-même, il est recommandé d'entretenir une vie sociale en fréquentant des amis communs de temps en temps. Sans que les invitations cannibalisent l'intimité du couple, cela apportera une dynamique positive au couple.

Inviter et se faire inviter en retour tous les deux mois en moyenne contribuera à augmenter le sentiment de bonheur des couples en question.

Ainsi, le couple et ses amis échangeront des discussions qui nourriront par la suite le quotidien du couple.

Être reconnu comme un couple en dehors du couple est important.

Les femmes et les hommes pourront discuter de sujets qui leur sont communs et donc trouver des conseils lorsque cela s'avère nécessaire.

Le couple devra sélectionner des amis qu'ils apprécient véritablement et dont les intentions sont sincères envers eux.

Il faut que le couple se sente bien dans ce cercle d'amis pour que cette vie sociale soit bénéfique.

14. Célébrer chaque anniversaire comme un événement unique

Plus les années passent, plus les anniversaires se transforment en routine.

Un repas est généralement organisé mais d'année en année il tend à être banalisé.

L'organisation d'un événement spécial que vous n'avez jamais organisé auparavant aidera votre conjoint à se sentir apprécié.

Le fait que vous fassiez un effort spécial rien que pour votre partenaire suscitera une forte émotion en lui ou en elle.

15. Organiser de petites escapades en amoureux

Quoi de tel que de passer un moment privilégié rien qu'à deux en étant déconnecté du monde sans internet et autres diversions pour resserrer les liens ?

Un week-end passé dans un gite ou une simple excursion d'une journée à la mer peuvent aider à partager un moment intense avec son partenaire.

Le fait de se déconnecter de la vie quotidienne contribuera à favoriser les conversations avec son conjoint et à lui porter une attention entière.

Partager un repas, un pic nic, une bonne glace vous aidera à vous resouder en vous détendant ensemble.

Vous pourrez alors faire le point et vous projeter pleinement ensemble dans l'avenir à votre retour.

16. Apporter du réconfort par une surprise apaisante

Si votre conjoint a tendance à stresser et à rentrer tard du travail complètement épuisé, n'hésitez pas à le surprendre en lui préparant un plateau repas de type traiteur facile à déguster et qui raviront ses papilles.

Le fait de prendre soin de lui ou d'elle sans lui apporter aucune pression contribuera à le relaxer.

Terminer votre surprise par un massage des pieds ou du dos selon sa préférence ravira votre conjoint que vous sera très reconnaissant et qui en redemandera à coup sûr !

Cela ravivera la complicité qui vous unit et favorisera par la suite l'ouverture de dialogues de qualité faisant de ces moments privilégiés de moments de discussion à cœur ouvert sur ses espoirs et ses rêves.

17. Un petit cadeau surprise emballé
Il sommeille toujours une part d'enfant en nous.

Qui n'est pas ravi de recevoir un petit présent emballé dans un joli paquet cadeau ?

Nul besoin de se ruiner. Vous pouvez créer un effet de surprise à un ancien collectionneur de pins ou à un fan de figurines de chats en emballant un petit objet qu'il affectionne. Offrir le sou fétiche de Picsou à un homme qui ne cesse de vous parler des dessins animés et BD de son enfance fera fondre les cœurs les plus résistants.

N'oubliez pas que les petits cadeaux faits avec le cœur sont les plus précieux. Trouver un petit paquet sur son oreiller ou près de son bol au petit déjeuner remplira de joie le cœur de votre partenaire.

18. Ecrire des petits mots doux

Les petits mots doux réchauffent le cœur et créent du désir.

Ecrire des petits mots doux pour surprendre votre moitié aura un effet bénéfique sur lui ou sur elle.

En effet, retrouver des « je t'aime » sur le frigo ou dans la valise de voyage si votre conjoint doit voyager pour le travail, créera le sentiment d'être aimé et apprécié.

19. Se câliner

Les bienfaits des câlins ne sont plus à démontrer. Ils procurent bien-être et un sentiment de bonheur.

Des études sérieuses ont prouvé l'augmentation du sentiment de bonheur chez les personnes se câlinant au point que des sessions de câlinothérapie ont vu le jour.

Or, avec les années et surtout après l'arrivée des enfants, les couples ont tendance à instaurer une distance physique entre eux. La fatigue et le stress accumulés contribuent à instaurer cette distance qu'il est pourtant facile de supprimer.

Se prendre la main en regardant la télévision, s'enlacer l'un contre l'autre avant de s'endormir, s'embrasser tendrement chaque matin au réveil sont des moyens très simples pour renforcer le sentiment de sécurité de son conjoint.

20. Servir un petit déjeuner au lit

Est-ce que vous avez déjà servi le petit déjeuner au lit à votre partenaire pour le surprendre ?

Si oui, n'hésitez pas à réitérer l'expérience pour qu'il ou elle puisse apprécier cet acte d'amour.

Quoi de tel pour se sentir aimé que de se voir servir un bon café chaud avec des croissants et un jus de fruit frais pressé le dimanche matin ?

Votre partenaire se sentira aimé et apprécié à sa juste valeur.

21. Lui rappeler pourquoi on l'aime

Il est important de rappeler à la personne qu'on aime pourquoi on l'aime.

Pour un homme :

Porter à l'attention d'un homme qu'il est sexy, très élégant dans ses nouveaux habits et montrer un peu de jalousie de temps créera fierté et excitation dans le cœur de votre cher et tendre.

Lui rappeler en quoi vous le trouver merveilleux (quelles sont ses qualités humaines telles que la gentillesse, la protection, sa virilité, son dévouement en tant que père) génèreront en lui des sentiments forts et profonds.

Les hommes sont bien plus sensibles qu'ils n'y paraissent. Mettre des mots sur ce qu'ils font au quotidien et reconnaitre leurs efforts renforcera incontestablement les liens qui vous unissent.

Pour une femme :

Complimenter une femme sur sa tenue, lui rappeler à quel point vous la trouvez belle, souligner l'éclat de ses yeux, la beauté de ses cheveux ou encore la douceur de sa peau lui feront le plus grand bien car elle se rendra compte que vous la regardez toujours avec amour.

Souligner ses efforts au quotidien pour avoir une maison propre, bien s'occuper des enfants, sa capacité à s'organiser lui redonneront du baume au cœur quand la fatigue du quotidien pèse parfois sur le moral.

Prendre en compte ses compétences et les valoriser devant les amis et la famille sera également très apprécié car cela reviendra à exprimer aux yeux de tous, la fierté que vous éprouvez à son égard.

Se sentir aimée, valorisée et reconnue pour tous ses efforts générera en votre partenaire beaucoup de douceur à votre égard.

Il y a de grandes chances que ce genre d'actions simples mais concrètent contribuent à diminuer la fréquence des disputes dans le couple.

22. Faire des baisers langoureux

Au fil du temps certains couples prennent de la distance s'embrassant de moins en moins.

Or, il est prouvé qu'effectuer des mouvements à l'aide de sa langue génère un accroissement du désir sexuel.

Ainsi si votre sexualité s'est étiolée vous devriez tenter de raviver le désir chez votre partenaire en l'embrassant tel un adolescent !

23. Multiplier les actes de gentillesse et de générosité

Rien de pire que l'indifférence ou l'égoïsme pour tuer une relation.

Prendre en compte les difficultés quotidiennes de votre conjoint et lui offrir la possibilité que sa journée soit plus douce fera une grande différence.

Ainsi si votre conjoint est surchargé de travail lui préparer une boite à lunch avec un repas équilibré chaud à l'intérieur sera une marque de gentillesse.

Lui offrir la possibilité d'aller à la poster chercher un colis à sa place un samedi matin est aussi un acte de gentillesse qui sera apprécié.

Faire quelque chose pour l'autre sans rien attendre en retour juste de le ou la voir épanoui(e) à vos côtés entretiendra une relation de qualité entre vous.

24. Trouver un passe-temps commun

Exercer un passe-temps commun est tout aussi important que laisser l'autre respirer en pouvant s'adonner à ses propres passions.

Si vous aimez fréquenter les marchés au puce pour chiner ensemble de vieux objets ou si vous avez une passion commune pour la musique, il est important de consacrer régulièrement du temps à la pratique de votre passion ensemble.

Cela renforcera la complicité au sein de votre relation et le sentiment d'être véritablement sur la même longueur d'ondes.

25. Prendre le temps d'écouter l'autre avec une attention véritable

Pour prouver à votre moitié que vous l'écoutez avec une attention véritable, n'hésitez pas à le ou la surprendre en lui prouvant que vous n'avez pas oublié que quelque chose compte véritablement pour lui.

Ainsi si vous entendez votre conjoint mentionner l'ouverture d'un centre de massage ou d'un salon de manucure qui vient d'ouvrir et qu'il ou elle aimerait essayer un jour, n'hésitez pas à lui réserver un rendez-vous ou lui offrir une carte cadeau pour s'y rendre.

Votre conjoint appréciera le fait que vous l'écoutez quand il vous parle des choses lui tenant à cœur.

26. Jouer comme des enfants !

Il n'y a pas d'âge pour s'amuser alors n'hésitez pas à pratiquer des batailles d'eau dans le jardin ou à vous livrer à des batailles d'oreillers.

Entretenir la flamme commence par se débrider soi-même !

27. Se faire beau pour sortir

Vivre ensemble implique de connaitre tout de l'autre et parfois à se laisser aller au niveau vestimentaire.

Ainsi faire un effort vestimentaire pour se faire beau pour sortir (tenue soignée, tour chez le coiffeur, parfum) restaurera une atmosphère de séduction dans le couple qui souhaitera se plaire mutuellement.

Ainsi, un homme pourra porter une tenue soignée avec une chemise et une femme choisira une belle robe de soirée. Il est possible de se rendre élégant sans se ruiner alors autant en profiter.

28. Dire « Je t'aime »

Combien de couples en difficultés n'affichent plus leurs sentiments ?

A quand remonte la dernière fois où vous avez dit je t'aime à votre partenaire ?

Si vous ne vous en rappelez pas, il est temps d'y remédier.

En effet, ces quelques mots rappelleront à votre moitié à quel point vous tenez à lui ou à elle.

29. Partager les corvées

La vie quotidienne est faite de défis en tout genre qui apportent leur lot de stress et de souci.

Quoi de plus irritant pour une personne déjà débordée par son travail que de retrouver un bac rempli de linge sale à laver en rentrant, des courses et le ménage à faire tandis que son compagnon s'octroie un moment de lecture sur le canapé ou une partie de jeu vidéo ?

Nombre de disputes commencent à cause de ce déséquilibre s'accentuant en plus par le fait que le conjoint finit par dire à sa compagne « Il fallait me demander de l'aide ».

Sauf qu'une femme ne perdra pas de temps et d'énergie à supplier d'obtenir une aide qui lui semble être difficile à obtenir.

Chacun est plus doué pour certaines tâches.

Ainsi il sera inutile de forcer votre compagnon à laver le linge s'il est meilleur pour faire les courses, préparer des repas, faire la vaisselle ou s'occuper des tâches administratives.

Il est important d'identifier vos domaines respectifs de compétence et de vous répartir les tâches de manière équitable afin de réussir à vous caler des moments de détente ensemble.

Un couple est aussi une équipe où ensemble on sent plus fort lorsqu'on est uni.

30. Savoir reconnaitre ses torts et s'excuser

Il est parfois difficile pour certaines personnes de reconnaitre qu'elles ont blessé l'autre par des mots ou des actions.

Il est pourtant essentiel afin d'éviter l'accroissement de rancunes, d'exprimer ses regrets en demandant pardon pour une erreur commise.

« Je suis désolé(e) ou je m'excuse pour avoir fait cette blague qui t'a vexé(e) devant nos amis. Je reconnais que je n'aurais pas dû le faire. »

Ces mots sont simples mais à haute portée symbolique.

Reconnaitre que l'on peut blesser l'autre et qu'il peut souffrir est essentiel pour avoir une relation saine et équilibrée.

31. Soyez vous-mêmes

Bon nombre de gens cherchent à se présenter sous leur meilleur jour au début d'une relation. Combien de personnes n'enjolivent pas leur profil sur les sites de rencontre prétendant pratiquer tel ou tel sport alors que ce n'est que de manière très occasionnelle.

Il est inutile d'essayer de changer sa nature profonde pour plaire à sa moitié.

L'amour véritable est toujours basé sur le respect de votre personnalité.

On ne séduit pas l'autre en essayant de devenir une autre personne.

Ainsi faire des régimes amincissant drastiques n'auront pour effet que de vous faire gagner plus de poids que votre poids initial.

Être vrai, savoir dire quelles sont vos valeurs et les choses qui vous tiennent à cœur vous assureront d'avoir une relation de qualité dans le long terme.

32. Prendre soin de sa santé et encourager l'autre à en faire de même

Quel est le rapport entre une bonne santé et son couple ?

Entretenir sa santé c'est prendre soin de soi, faire preuve de respect envers son propre corps et aussi prouver à l'autre que l'on fait tout pour rester en forme le plus longtemps possible.

Ainsi avoir un rythme de vie sain en adoptant un régime alimentaire équilibré, en pratiquant une activité physique sportive et en respectant un cycle de sommeil régulier favorisera une bonne santé.

Prendre soin de vous vous fera non seulement vous sentir en meilleur forme pour partager des activités communes avec votre conjoint, mais cela vous permettra également d'être moins stressé et de moins vous disputer.

33. Savoir faire des compliments

Il est fréquent d'avoir une opinion positive sur les actions d'une personne, ses qualités physiques ou émotionnelles sans jamais le faire savoir de vive voix.

Dans le cadre d'une relation, faire des compliments à son partenaire permet de souder la relation.

Cela permet de démontrer le respect que l'on éprouve à l'égard de son conjoint.

Sans tomber dans la flagornerie, complimenter son conjoint en étant sincère saura toucher le cœur de votre partenaire qui se sentira reconnu à sa juste valeur.

Un sentiment de bien-être et de confiance sera favorisé dans la relation.

34. Accepter l'autre tel qu'il est

Même si chacun peut travailler à gommer ses défauts, il est essentiel de ne pas se faire des illusions sur son partenaire en projetant en lui ou elle des qualités ou des désirs qui ne lui ressemblent pas.

Bon nombre de relations n'évoluent pas vers une relation plus sérieuse car l'un des deux partenaires veut changer l'autre.

Prenons l'exemple d'un homme fraichement divorcé qui rencontre une femme mais qui ne souhaite pas s'engager dans l'immédiat. La femme qui n'aura que pour but de vouloir obtenir un engagement officiel aura l'impression que son partenaire ne l'aime pas alors qu'en réalité il a seulement besoin de prendre son temps pour reprendre sa vie bien en main.

L'erreur de la femme est de projeter dans la relation son désir d'engagement au détriment du ressenti de l'autre personne.

Il faut accepter l'autre tel qu'il est avec ses qualités, ses forces mais aussi ses faiblesses.

Accepter l'autre tel qu'il est sans chercher à le changer est la clé du succès des couples qui durent car l'intégrité de l'individualité de chacun est respectée.

35. Ne pas chercher à fouiller le passé de son partenaire sur les réseaux sociaux

Il est commun de dire que si l'on cherche on trouve.

Avec les réseaux sociaux et quelques recherches sur internet, il est facile de trouver des informations sur le passé de son partenaire.

Si vous l'interroger pendant des heures sur le nom de ses ex, il y a de fortes chances de trouver des informations en ligne sur ces personnes. Le risque sera de vous comparer et de vous trouver moins bien que le ou la rivale.

Pire encore, si vous tombez sur des photos de couple de votre partenaire et de son ex, restées en ligne cela provoquera en vous au mieux un sentiment de jalousie et au pire le sentiment que votre partenaire semblait plus tenir à cette personne.

Le passé appartient au passé. Il est essentiel pour construire votre futur ensemble de ne pas créer des sources de conflit sur quelque chose qui s'est passé et qui est terminé.

Tant que l'ex en question ne revient pas dans la vie de votre partenaire chercher à le contacter par tous les moyens il n'y a pas de risque.

36. Apprendre de ses erreurs et ne pas les répéter

Lorsqu'une situation a créé des tensions voir de fortes disputes dans un couple, il est important d'en tirer les leçons en réfléchissant à ce qui a occasionné la dispute et à faire en sorte de ne pas recommencer.

Vivre à deux c'est progresser ensemble en apprenant de ses erreurs.

Ainsi, si un homme a tendance à discuter avec d'autres femmes qui essayent de le séduire lors d'une soirée et que monsieur semble aux anges, il sera important qu'il prenne en compte la souffrance ressentie par sa partenaire si cela dégénère en dispute.

37. Organiser des projets ensemble

Entretenir la flamme dans un couple implique d'organiser des projets de court, moyen ou long terme.

Les couples qui durent dans le temps sont des couples qui savent faire des projets ensemble.

La préparation du projet apporte ainsi autant de plaisir au couple que la réalisation du projet en lui-même.

Le projet créera un sentiment d'unité dans le couple qui se sentira dans la même longueur d'ondes.

38. Créer votre boite à souvenir

Créer une boite à souvenir pour y stocker photos, tickets de cinéma ou de musée, les brochures des villes visitées, les fleurs séchées ramassées ensemble à la montagne, une petite fiole avec du sable des vacances à la mer contribuera à raviver l'intensité des sentiments ressentis au moment où vous avec collecté ces objets.

De temps en temps lorsque vous l'ouvrirez seul ou ensemble, cela vous aidera à vous rappeler de bons moments et vous donnera peut-être l'idée de créer de nouveaux bons moments en organisant un week-end pour faire une surprise à votre douce moitié.

39. Ne pas utiliser des fausses excuses quand vous n'avez pas envie de moments intimes
Il est essentiel de ne pas utiliser des fausses excuses lorsque vous ne voulez ou ne pouvez pas faire quelque chose.

Si votre conjoint souhaite partager un moment intime avec vous il est important de ne pas utiliser les enfants comme prétexte si vous n'êtes pas d'humeur.

Il faut être simplement honnête avec votre partenaire lorsque vous ne souhaitez pas partager un moment intime.

Il n'est pas nécessaire d'inventer un tas de corvées ou tâches à accomplir lorsque vous préférez tout simplement vous reposer. Dites les choses avec des mots simples et honnêtes.

Votre partenaire pourra ainsi réaliser quand vous êtes vraiment fatigué et peut être vous aidé un peu plus afin de réserver du temps pour des moments câlins à deux.

40. Surveiller la façon dont vous vous adressez à votre conjoint

Dans une relation la communication verbale et non verbale (celle qui se traduit par des gestes, des regards) est importante.

SI quelque chose vous contrarie il conviendra de mettre des mots sur votre contrariété en disant calmement ce qui vous dérange sans forcément vous mettre à soupirer ou à lever les yeux au ciel. De la même façon il sera inutile d'utiliser un ton sec at cassant.

Ce genre d'attitudes peut créer un grand agacement chez votre partenaire qui pourra se sentir humilié(e) et incompris(e).

Adopter au contraire une attitude manifestant l'insatisfaction de manière calme en disant pourquoi vous être contrarié, vous aidera à entamer une discussion constructive avec votre partenaire.

41. Faire l'amour et apporter de la fantaisie dans la relation.

L'intimité est une partie importante dans une relation de couple. Il est important d'encourager les moments intimes. Plus on fait l'amour, plus on a envie de recommencer. Au contraire, moins on fait l'amour moins on a en envie.

La conséquence est quasi immédiate créant une distance émotionnelle grandissante dans le couple.

Les partenaires peuvent alors ressentir un fort sentiment de solitude alors même qu'ils vivent ensemble.

Entretenir une intimité s'apprend.

Vous pouvez apporter un peu de piment à votre relation en achetant des livres, en regardant des films, en utilisant des déguisements ou des sex-toys.

42. Couper les téléphones portables et les ordinateurs à la maison

Les nouvelles technologies ont tendance à empiéter sur notre vie privée. Il est fréquent de se laisser interrompre en recevant un mail du bureau ou une notification d'un réseau social sur la dernière activité d'un ami.

Les bips incessants nous encourageant à perdre le fil de nos conversations et à détourner notre attention sont nocifs pour le couple.

Il est important une fois rentrés chez vous de pratiquer votre droit à la déconnexion.

Passer un moment à deux sans interférence extérieure est essentiel pour ne pas se laisser envahir.

43. Célébrer les anniversaires de mariage ou de début de la relation.

Considérer chaque anniversaire de mariage ou de la relation comme une commémoration d'un événement positif qui a changé votre vie pour permettra d'exprimer votre gratitude envers votre conjoint pour partager sa vie à vos côtés.

44. Contrôler sa colère

Chaque relation a son lot de difficultés pouvant donner lieu parfois à d'intense disputes.

Au nom du respect de votre relation et de l'amour que vous vous portez, il est important de contrôler votre colère et le poids des mots blessants qui peuvent en résulter.

Ainsi, il pourra arriver d'avoir envie de prononcer le mot de divorce pour blesser votre conjoint.

Il est important de ne pas utiliser de tels mots si vous ne les pensez pas car cela sèmera le doute dans l'esprit de votre partenaire qui pourra penser que vous envisagez sérieusement de divorcer.

45. Affronter les soucis financiers ensembles sans tarder

Outre l'infidélité, l'une des premières raisons qui mène au divorce est la rencontre de difficultés financières. L'accumulation de frustration tend à générer des tensions qui dégénèrent en disputes poussant souvent à porter la cause des ennuis financiers sur l'autre.

Il est indispensable de ne pas céder à cette tentation. Les prêts et les découverts sont contractés ensemble.

Dès les premiers signes de problèmes financiers, il ne faut pas laisser trainer les choses mais en discuter ensemble et demander de l'aide extérieure au besoin (renégociation de prêts bancaires avec un conseiller financier, rencontrer un travailleur social pour obtenir conseils et aides financières, demander conseil et aide à la mairie si vous recherchez du travail). Pour s'en sortir, il faut savoir chercher de l'aide et l'accepter.

Affronter les difficultés financières ensemble le plus tôt possible est la clé pour pouvoir s'en sortir avant que la situation devienne insoluble.

Bon nombre de couples se déchirent lorsque la situation devient trop lourde à porter.

46. Savoir pardonner

Lorsque vous vous disputez avec votre conjoint, il est important de ne pas laisser la rancune s'installer dans la relation. Ainsi si après une dispute il/elle vous demande de le pardonner, il faut le faire avec sincérité et non pas pour simplement mettre fin à une dispute qui n'en termine pas.

Si votre conjoint a eu une relation extra conjugale et qu'après maintes disputes il/elle vous demande de lui pardonner pour sa faute, il faudra le faire avec sincérité pour ne pas remettre l'événement sur la table à chaque dispute ou pour ne pas passer son temps à espionner son téléphone et fouiller ses poches.

Le pardon est un acte d'apaisement et de restauration de la confiance. Il est indispensable de le réaliser pour recréer des bases saines dans la relation.

47. Proscrire les disputes en public

Être en désaccord avec son conjoint fait partie de la vie d'un couple. Il est impossible d'être d'accord sur tout, tout le temps.

Cependant, lorsque ces désaccords surviennent il est indispensable de ne pas commencer à vous disputer en public au risque d'humilier votre conjoint devant d'autres personnes.

Les désaccords dans le couple relèvent de la sphère privée.

Si vous reprochez à votre conjoint son désir de démissionner de son travail avant qu'il/elle en trouve un nouveau, cela devra se faire dans le cadre privé car cela concerne les finances de votre couple, le bien être de votre partenaire et ses projets de carrière.

Commencer une dispute à propos d'un désaccord en présence d'autres personnes, ne fera qu'envenimer le conflit car votre conjoint se sentira humilié et rabaissé.

Certaines personnes de votre entourage ne se priveront pas de faire des commentaires sur la situation.

Tout désaccord survenant dans un lieu public doit être réglé en privé au cours d'une conversation dans un lieu isolé. Si vous ressentez le besoin de régler la situation de suite, il sera alors préférable de demander à votre conjoint de vous suivre dans une autre pièce.

48. Entretenir des relations cordiales avec la belle famille

Lorsque l'on démarre une relation de long terme, cela implique d'avoir à un moment ou à un autre des relations avec la famille de son conjoint.

Il est important d'entretenir de bonnes relations avec sa belle-famille. Même si vous ne partagez aucune affinité avec ces personnes voire que vous ne les aimez pas du tout, il est important de conserver une relation cordiale avec eux.

Si vous vous en prenez aux parents de votre conjoint verbalement, il y a de fortes chances que votre conjoint prenne le parti de ses parents.

Ainsi même si vous devez mettre de l'eau dans votre vin, cela sera toujours préférable aux conflits ouverts.

Vous pourrez si besoin essayer d'espacer les rencontres au maximum avec les personnes que vous n'appréciez pas. Vous ne pourrez en aucun cas demander à votre conjoint de couper les ponts avec sa famille.

49. Demander conseil aux couples mariés depuis longtemps

Les couples mariés depuis longtemps peuvent offrir de bons conseils.

Si vous connaissez des couples mariés depuis longtemps n'hésitez pas à leur demander des conseils sur la vie de couple, la façon de régler un désaccord.

Ainsi l'influence positive de personnes bienveillantes en couple depuis longtemps pourra vous être très utile pour renforcer votre propre relation.

50. Réaliser un calendrier avec les douze photos les plus marquantes de l'année

Effectuer des cadeaux personnalisés en utilisant des photos prises au cours des douze derniers mois pour personnaliser un calendrier ravivera les bons souvenirs de l'année écoulée.

Ce petit cadeau personnalisé offrira l'opportunité de discuter ensemble des bons moments à l'occasion d'un anniversaire ou de Noël.

51. Offrir un cadeau fait maison

Rien de tel qu'une petite attention pour faire fondre le cœur de votre cher(e) et tendre.

Prendre le temps de créer un petit cadeau fait maison, que ce soit une carte de vœux, un collage, un porte-clé…saura faire fondre le cœur de votre conjoint qui sera attendri par le fait que vous ayez pris le temps de lui préparer une surprise de vos mains.

52. Préparer le repas favori de votre conjoint

Si votre compagnon/compagne est friand d'une recette particulière telle que le porc au caramel ou la blanquette de veau alors n'hésitez pas à vous mettre aux fourneaux pour lui préparer une petite surprise un vendredi soir.

Lui préparer son plat préféré lui ravira ses papilles et le ou la mettra de bonne humeur pour commencer le week-end.

Le fait de se sentir aimé et apprécié le ou la rendra plus attentif à vos besoins générant ainsi un cercle vertueux de communication.

53. Adopter un animal ensemble

Si vous et votre compagnon (compagne) aimez les animaux pourquoi ne pas adopter ensemble un animal abandonné à la recherche d'un foyer doux et aimant ?

Adopter un animal ensemble est bien entendu une responsabilité qui vous engagera vous et votre conjoint tout au long de la vie de l'animal mais ce sera un moyen de vous rapprocher en prenant soin ensemble d'un petit être vivant.

Cajoler et jouer avec un chat qui ne demandera qu'à se faire câliner ou promener ensemble un chien contribuera à vous créer un point commun.

Donner de l'amour ensemble resserrera les liens que vous entretenez avec votre conjoint.

54. Aller au cinéma ensemble

Il est important de partager des activités ensemble pour se sentir proche de son conjoint.

Choisir un film ensemble et aller le voir est un excellent moyen de s'évader de la routine et du stress du quotidien.

S'évader le temps d'un film, se tenir la main, s'embrasser dans le noir et manger du popcorn vous procurera du plaisir à titre personnel mais aussi en tant que couple.

55. Prendre le temps de se promener dans un parc ensemble

Qui n'a pas en mémoire le souvenir d'amoureux se promenant main dans la main dans un parc ?

Les promenades dans les parcs offrent l'opportunité de profiter de l'autre dans l'instant présent. Cela renforce également les opportunités de discuter ensemble sur tous les sujets qui vous intéressent.

Prévoir un picnic entre midi et deux allongera encore plus ce moment de plaisir et de détente.

Il vous faudra bien évidemment vous déconnecter de vos téléphones pour ne pas être interrompu par l'arrivée de notifications intempestives.

56. Offrir une étoile

Si vous êtes en quête d'un cadeau romantique qui n'a pas de prix vous pouvez offrir une étoile à votre compagnon/compagne.

Prévoyez de le faire un soir d'été de préférence en août pour demander à votre conjoint de vous rejoindre dehors. Vous pourrez alors pointer du doigt l'étoile la plus brillante et dire à votre conjoint que vous l'avez acheté spécialement pour lui/elle. Vous pouvez y associer un petit cadeau tel d'un collier en forme d'étoile filant ou un porte clé pour que votre conjoint se rappelle toute sa vie de ce moment partagé à deux.

57. Offrir un carnet de coupons préremplis

Vous souhaitez faire un cadeau inestimable à votre conjoint mais vous n'avez pas beaucoup de moyens ?

N'hésitez pas à utiliser le système des carnets de coupons en créant vous-même un carnet contenant des bons pour des massages des pieds, du dos, un dîner romantique, une nuit d'amour…

Ainsi lorsque votre conjoint viendra solliciter vos bons soins vous pourrez les lui prodiguer avec amour et affection. Il faudra bien entendu jouer le jeu de la séduction et vous montrer de bonne humeur en remplissant la tâche énoncée sur le coupon.

Si vous prenez le temps de jouer le jeu en réalisant un massage ou tout autre action en pleine conscience et en manifestant un désir sincère de le faire, vous développerez la gratitude de votre conjoint envers vous. Cela renforcera les sentiments qu'il ou elle éprouve pour vous.

58. Faire circuler l'énergie amoureuse par le feu

Pour favoriser une relation heureuse, il est important de multiplier les moments romantiques à la maison. Ainsi, allumer tout simplement des bougies instaurera instantanément une atmosphère romantique.

Que ce soit pour un dîner ou un massage, le feu réchauffera l'atmosphère en contribuant à réchauffer vos cœurs. Allumer des bougies est un symbole spécial montrant à l'autre que l'on souhaite partager un moment particulier avec lui.

En allumant des bougies vous montrerez à votre conjoint que vos donnez du sens à votre relation.

59. Réserver une nuit à l'hôtel

Pour se retrouver et pour sortir des tensions du quotidien, vous pouvez réserver une chambre d'hôtel et un restaurant.

Vous pouvez faire une surprise à votre conjoint en lui demandant de vous rejoindre dans un lieu public avant de l'envoyer sur le lieu de sa surprise.

Vous pouvez pimenter le tout en prévoyant quelques indices tels qu'un petit mot l'invitant à préparer un sac avec quelques habits et son nécessaire de toilette quelques jours avant tout en gardant le silence sur la destination.

Après le diner au restaurant vous pourrez ainsi passer la nuit ensemble dans la chambre d'hôtel.

60. Créer un album photo pour votre compagnon (compagne)

Offrir un album photo est un acte spécial qui célèbre la vie d'une personne.

Vous pouvez préparer un album photo contenant toutes les dates clés de la vie de votre conjoint en y introduisant les photos de son enfance, de ses grands-parents, des personnes qu'ils aiment, les animaux de compagnie, de ses amis, des vacances…

Toutes les photos ravivant les souvenir heureux créeront une émotion forte chez votre conjoint et lui rappelleront à que vous et lui pouvez encore créer de nombreux moments de bonheur ensemble.

61. Donner du sens aux cadeaux que vous faites

Tout le monde aime les petites attentions et recevoir un cadeau-surprise.

Par contre il est important d'y donner du sens pour que votre cadeau ne soit pas considéré comme un simple don matériel d'objet.

1-Un cadeau qui a du sens

Si vous offrez un cadeau prenez le temps de réfléchir pour ne pas acheter n'importe quoi.

Acheter un cadeau inutile pourra avoir un contre effet. Si vous achetez du parfum à une personne qui n'aime pas cela, elle/il considérera que vous avez effectué un achat par obligation.

2-Prendre le temps d'effectuer l'achat

Il est important de mettre du cœur et de l'authenticité dans l'achat d'un cadeau. L'achat d'un cadeau ne doit pas être ressenti comme une corvée mais comme un acte de générosité

3-Offrir le cadeau avec une bonne intention

Il est essentiel que la personne qui reçoit le cadeau ressente que vous offrez un cadeau pour faire plaisir et non pour obtenir quelque chose en retour. On n'achète pas quelqu'un par un cadeau.

4-Trouver le bon moment pour offrir le cadeau

Il est essentiel de trouver un bon moment pour offrir le cadeau à un moment où vous et votre conjoint aurez le temps de partager un moment ensemble.

62. Construire l'arbre généalogique de la famille

Avec l'aide et l'accord de sa famille la construction de l'arbre généalogique de votre compagnon le touchera profondément.

Le fait de savoir que vous aurez passé du temps à lui préparer cette surprise le marquera car il réalisera à quel point vous tenez à lui.

63. Passer une journée ensemble au spa

Passer une journée ensemble au spa à vous faire masser et à bénéficier de soins de beauté relaxant aux algues permettra à votre couple de respirer et de se retrouver loin du stress quotidien.

Pour les couples ayant des enfants embaucher une baby-sitter ou faire garder les enfants par la famille permettra aux parents de se retrouver ensemble pour un moment de détente pour pouvoir se libérer le corps et l'esprit.

64. Faire un don ensemble

Faire un don ensemble en tant que couple en offrant quelque chose à des personnes qui en ont besoin contribuera à vous rapprocher.

Le choix est large en matière de dons. Cela peut aller du don de sang au don d'habits, de nourriture ou d'argent pour les animaux.

Une cause commune qui vous est chère à tous les deux vous fera vous sentir heureux.

Votre conjoint vous appréciera encore plus pour votre gentillesse et votre capacité à penser aux autres.

65. Observer le mauvais temps bien au chaud

Qui n'a jamais ressenti le plaisir d'être tranquillement bien au chaud à la maison tandis qu'un orage gronde vous obligeant à couper la boite internet pour qu'elle ne grille pas ? Enfin un moment déconnecté.

Profiter d'un moment de mauvais temps pour se rapprocher de son partenaire en prenant un café ou un thé bien chaud vous rapprochera et créera du lien en encourageant l'échange de mots doux et de câlins.

Le but est de transformer les contraintes climatiques en opportunité de passer du temps ensemble en apprenant à voir le côté positif des choses et non seulement le négatif.

66. Prendre soin de vous-même

Au début d'une relation on souhaite toujours plaire à l'autre en faisant un effort vestimentaire voir en perdant un peu de poids. Avec le temps les couples vivant ensemble prennent moins soin de leur apparence. Alors qu'au début d'une relation un couple n'aurait jamais envisagé de passer un week-end ensemble en jogging, c'est pourtant ce qui finit parfois par se passer.

La femme se maquille moins voire plus du tout, tandis que l'homme laissera trainer une barbe de plusieurs jours et portera des t-shirts délavés.

Demander à votre conjoint de faire un effort vestimentaire est délicat et risque de le vexer.

Pour lui faire prendre compte de la nécessité d'agir vous pourrez tout simplement commencer par prendre soin de vous-même en choisissant de porter une tenue vous mettant en valeur. Qu'importe si les années ont apporté quelques kilos de plus ou quelques rides. Le plus important est de faire un effort en portant un pantalon de ville et une chemise pour monsieur qui prendra le temps de bien se raser, se coiffer et se parfumer. Madame quant à elle pourra choisir une jolie lingerie et une jolie robe mettant ses formes en valeur de manière élégante. Une touche de parfum et un peu de rouge à lèvre complètera la tenue.

Que vous soyez un homme ou une femme, si vous recommencez à prendre soin de vous, votre conjoint le remarquera et commencera à se comparer à vous. Il ou elle craindra qu'une autre femme ou qu'un autre homme ne commence à vous regarder. En attisant un brin de jalousie vous stimulerez l'égo de votre moitié.

67. Etablir une relation de confiance

Une pointe de jalousie entretiendra le piment dans le couple. SI le conjoint voit son partenaire faire un effort vestimentaire ou faire un régime pour mincir il voudra en faire de même parce qu'il ne voudra pas paraitre moins bien que son ou sa partenaire.

Par contre, une relation saine se doit d'être une relation basée sur la confiance mutuelle.

Ainsi, il sera important d'entretenir une relation basée sur la vérité dans votre couple. Si une personne essaye de vous séduire ou si un ex essaye de vous recontacter, ne le cachez pas à votre partenaire mais dites avec des mots simples mais sincères les faits.

Cela évitera à une tierce personne souhaitant vous séduire de pouvoir éventuellement semer le doute dans l'esprit de votre partenaire plus tard.

68. Garder le contact malgré la distance

Que vous soyez en couple avec une personne voyageant dans le cadre professionnel ou pour des études il est important de garder le contact régulièrement par texto, webcam, téléphone.

En gardant le contact avec votre partenaire et en exprimant vos sentiments régulièrement la relation se maintiendra sans rupture de communication.

Cela vous protègera les sentiments de votre conjoint à votre égard et contribuera à le ou la rassurer sur les vôtres. Cela pourrait même déboucher sur un désir d'engagement plus important avec une demande en mariage.

69. Organiser une fête costumée chez vous

Que ce soit à l'occasion du carnaval, d'un anniversaire ou pour Halloween organiser une fête où tous les invités seront déguisés apportera détente et bonne humeur dans votre couple.

Ce sera l'occasion de revisiter les classiques de l'histoire en vous déguisant en séduisants héros et héroïnes.

Rien de tel pour alimenter les fantasmes du couple qui aura l'impression de courtiser une autre personne pendant la soirée.

Se déguiser en Cléopâtre, en aviateur allié héros de la Seconde Guerre Mondiale ou en couple de la Belle Epoque apportera charme et séduction dans la relation.

70. Utiliser le pouvoir de la musique

La musique impacte directement nos émotions. Vous pouvez ainsi préparer une sélection de chansons que votre partenaire apprécie pour qu'il puisse les écouter en allant au travail.

SI vous en avez la possibilité, vous pouvez également ajouter quelques mots que vous enregistrez vous-même pour lui donner du courage.

71. Essayer de nouvelles choses ensemble

Pour permettre à votre couple de rester vivant, il est important de partager des activités qui sortent de l'ordinaire.

SI vous aimez le sport, vous pouvez par exemple réaliser une excursion en canoë-kayak ou passer du temps dans un centre d'acrobranches pour réaliser un parcours sportif.

Ceux qui aiment voyager pourront visiter ensemble des lieux qu'ils ont toujours rêver de visiter. Réaliser ses rêves ensemble en faisant des activités hors du commun permettront à votre couple de rester soudé et uni autour d'un projet.

72. Faire un geste pour une famille dans le besoin au moment de Noël

La période de Noël est propice aux bonnes actions. Vous pouvez avec votre conjoint identifier une famille dans le besoin (contacter un centre caritatif près de chez vous si vous ne connaissez pas de famille à aider) et effectuer des cadeaux pour les enfants de cette famille.

Vous pouvez aussi contribuer à aider une personne seule en l'invitant à manger chez vous ou à prendre un café.

Effectuer une bonne action ensemble vous aidera à vous sentir heureux de ce que vous avez construit dans votre relation. Vous apprécierez plus la chance que vous avez d'être en couple.

73. Célébrer l'anniversaire de la relation avec des mots d'amour

Quelques jours avant la date anniversaire de votre relation vous pouvez commencer un compte à rebours en offrant chaque jour une petite douceur (un bonbon, un chocolat) accompagné d'un petit mot d'amour. Vous pourrez ainsi offrir à votre conjoint le plaisir de se sentir aimé et cajolé avant de lui offrir un cadeau le jour de l'anniversaire (un bouquet de fleur, un dîner…).

Le plaisir réside aussi dans la préparation de l'événement contribuant à susciter une excitation et une joie partagée. Une ambiance romantique s'en verra renforcée rendant votre conjoint amoureux de vous.

74. Faire un effort ensemble et s'offrir une récompense ensemble

Repeindre ensemble les murs de votre maison ou faire ensemble un vide-greniers pour faire le vide de vos affaires inutiles vous apparaitra peut-être comme une corvée.

Toutefois, si vous ajoutez une récompense en bout de course telle qu'une sortie au restaurant ou une sortie au spa avec une séquence de jacuzzi, cela créera un sentiment mutuel de satisfaction.

Partager les bonnes choses de la vie ensemble après avoir fait un effort ensemble contribuera à renforcer le sentiment de bonheur dans le couple. En faisant des efforts ensemble, le couple comprendra qu'il peut être heureux ensuite en savourant davantage les moments de bonheur.

75. Accepter le changement

Aucune relation n'est gravée dans le marbre. Les individus évoluent au fil des années. De nouveaux traits de caractère peuvent apparaitre au fil du temps.

Au lieu de lutter contre le changement que vous pouvez être amené(e) à constater chez votre partenaire, vous pouvez l'accompagner et l'encourager.

Vous fâcher avec un conjoint qui souhaite changer d'activité professionnelle ou reprendre une activité sportive arrêtée depuis longtemps n'apportera rien de positif sinon le sentiment d'être incompris.

Si vous encouragez votre conjoint à s'ouvrir à vous en communicant sur ses rêves, ses espoirs et les raisons qui ont conduit à ce changement, celui-ci se sentira valorisé et compris. Une écoute active vous permettra de vous intégrer à ce besoin de changement et non à vous en exclure.

Le plus important lorsqu'un changement survient est de l'accompagner et non de tenter de le réprimer.

76. Récolter ce que l'on sème

« On récolte ce que l'on sème ». Ce très vieux dicton est rempli de bon sens et toujours vrai aujourd'hui. Ainsi si vous semez au quotidien l'amour, l'encouragement, le sens de l'effort, l'honnêteté, le pardon alors vous recevrez en retour les fruits de votre travail.

Tous les efforts mis ou non dans une relation seront récoltés un jour ou l'autre.

Ainsi votre relation sera à l'image des efforts que vous êtes capable de fournir.

Apporter un amour inconditionnel à votre conjoint en le soutenant même s'il perd son emploi vous permettra de protéger votre relation.

Bon nombre de relations s'éteignent par cause d'égoïsme et par refus d'affronter ensemble les difficultés du quotidien.

Apporter amour, soutien, patience et écoute à son autre moitié renforcera vos chances de faire durer cette relation.

N'oubliez pas qu'il n'est jamais trop tard pour bien faire.

77. Organiser une soirée jeux de société

Que ce soit en couple ou avec d'autres amis que vous pouvez inviter, l'organisation de jeux de société favorisera la communication et le rire.

Ce type de moments de détente et de plaisir est essentiel dans une relation pour que celle-ci continue à s'épanouir. Prendre le temps de rire ensemble et de s'amuser vous permettra de vous rapprocher si vos centres d'intérêts se sont un peu éloignés avec le temps.

Les jeux de société sont un bon outil pour recommencer à passer du temps ensemble sans commencer à discuter de sujets qui fâchent ou qui provoquent l'ennui de l'autre conjoint.

78. Ne pas laisser d'autres personnes interférer dans la relation.

Que ce soient vos meilleurs amis, des collègues ou des membres de la famille, il est essentiel de ne pas laisser des tiers interférer dans votre couple.

Les conflits que vous pouvez avoir avec votre conjoint ne regardent que vous. Des tiers ne doivent en aucun cas se sentir le droit de venir jouer aux arbitres dans votre couple.

Ainsi, dès qu'une personne commence à donner son avis sur votre couple il sera indispensable de dire poliment à cette personne que vous la remerciez de s'inquiéter pour vous mais que vous ne souhaitez pas partager les discussions concernant votre couple avec d'autres personnes.

Votre conjoint ne doit pas avoir le sentiment d'être trahi en apprenant que des discussions le ou la concernant ont lieu dans son dos.

79. Aimer son compagnon et lui dire pourquoi

Manifester votre amour pour votre conjoint et lui dire pourquoi il ou elle est si spécial(e) à vos yeux vous permettra de montrer à votre partenaire que vous ne considérez pas pour acquis.

Si vous lui expliquez pourquoi vous l'aimez et ce que la relation vous apporte vous lui apporterez le sentiment que la relation est forte et unique. Parler de votre amour en mettant des mots dessus renforcera et protègera votre couple.

Votre conjoint se rappellera que vous êtes en couple pour de bonnes raisons et que vous tenez sincèrement à lui ou à elle. Cela vous aidera à traverser les moments de dispute que vous pouvez être amené à expérimenter.

80. Suivre son instinct

Si vous sentez que quelque chose dans votre relation est en train de partir dans la mauvaise direction, il est important d'écouter ce que votre instinct vous dit.

Il y a de fortes chances que les sentiments que vous ressentez soient le fruit de signes précurseurs que vous n'arrivez peut-être pas encore à identifier de façon consciente mais qui vous guident vers le doute ou la peur.

Au lieu de laisser ce doute et cette peur venir vous contrarier et vous polluer l'esprit au quotidien, il est préférable de jouer carte sur table et d'entamer une discussion saine avec votre partenaire sur vos doutes et vos peurs.

En tant que couple vous devez pouvoir discuter ensemble des choses qui vous préoccupent.

Ainsi, si vous trouvez que vous êtes en train de vous éloigner de votre conjoint, il est important d'en parler et de voir si les raisons de cet éloignement sont liées au stress de la vie courante et si vous pouvez tenter d'y remédier ensemble.

81. Être créatif

Les mots d'amour comme « Je t'aime » font toujours plaisir à celui qui les entend mais pourquoi ne pas y ajouter un peu de fantaisie en contactant une station de radio pour dédicacer une chanson ou en louant un panneau d'affichage publicitaire pour écrire en grand vos mots d'amour.

Utiliser les opportunités offertes par les marques pour inscrire votre message sur l'un de leurs produits peut être un autre moyen d'apporter de la fantaisie à votre vie.

82. Regarder votre compagnon/compagne dans les yeux

Avec le temps, les personnes tendent à se regarder de moins en moins dans les yeux prenant l'habitude de vivre ensemble l'un à côté de l'autre mais sans porter une véritable attention à l'autre.

Prendre le temps de regarder son conjoint dans les yeux et faire en sorte que celui ou celle-ci ressente bien la force de votre regard attirera son attention.

Si votre conjoint vous demande pourquoi vous le ou la regardez ainsi, vous pouvez lui répondre tout simplement qu'il ou qu'elle vous plaît et que vous le ou la trouvez toujours aussi beau/belle qu'au premier jour.

83. En apprendre toujours plus sur l'autre

Lorsque l'on connait bien une personne on croit tout connaitre sur celle-ci. Or il y a toujours quelque chose de nouveau à découvrir chez son conjoint telles que de nouvelles qualités humaines ou d'autres centres d'intérêt que l'on ignore.

Ainsi vous ne devez pas hésiter à remplir ensemble les questionnaires de magazine qui apprennent en en savoir davantage sur sa personnalité.

En plus de passer un bon moment ensemble vous réussirez à entamer des discussions profondes sur votre approche de la vie, vos aspirations personnelles, vos rêves d'enfants…

Cela pourrait vous donner de nouvelles idées de projets à réaliser ensemble.

84. Changer les habitudes

Les habitudes contribuent à nous sécuriser et à renforce notre sentiment de bien-être.

Il est bon toutefois de savoir les changer de temps à autre pour pouvoir apporter un brin de fantaisie à l'existence.

Ainsi, si vous avez pour habitude d'avoir une vie sexuelle basée sur la routine avec les mêmes positions, les mêmes endroits, et le même horaire, il pourrait être bon d'apporter du changement à votre programme.

Pourquoi ne pas apporter un peu de fantaisie en vous bandant les yeux et en utilisant seulement vos autres sens ? L'utilisation du toucher décuplera vos sensations et portera votre attention sur le moment présent.

Vous pouvez également stimuler votre partenaire en utilisant des plumes que vous effleurerez le long de son cou ou de son dos pour le stimuler.

85. Dancer pour vous rapprocher

La danse est un excellent moyen de ralentir le temps et de profiter du moment présent passé ensemble sans nécessairement parler.

Une ambiance romantique peut être rapidement instaurée chez vous en allumant quelques bougies et en mettant un fond musical sonore.

En rapprochant vos corps par la danse vous rapprocherez aussi vos cœurs.

86. Assister ensemble au lever ou au coucher du soleil

Les couples vivant ensemble sont très souvent stressés par les impératifs de la vie quotidienne et ne prennent pas ou plus le temps de profiter du moment présent.

Assister à un lever de soleil est un événement magique et très romantique que les couples peuvent réaliser assez facilement.

Prendre un café en terrasse ou dans la nature tout en assistant à un lever de soleil peut être un bon moyen de passer un moment romantique ensemble à moindre frais.

Vous pouvez aussi réaliser l'expérience au coucher du soleil en bord de mer ou au bord d'un lac, en montagne.

87. Visiter un nouveau lieu ensemble

Même si vous habitez depuis des années dans la même région, il y a toujours un nouvel endroit à découvrir que ce soit une promenade, un atelier de fabrication artisanale ouvrant ses portes aux visiteurs.

En vous tenant informé des activités à réaliser dans votre région auprès de l'office de tourisme vous pourrez proposer à votre moitié des activités proposées aux couples venant en lune de miel.

Visiter de nouveaux lieux ensemble est un excellent moyen de montrer à votre partenaire que même après plusieurs années de vie commune il est tout de même possible de découvrir de nouvelles choses.

88. Trier les informations que vous souhaitez partager sur votre passé

Si vous avez réalisé dans le passé des actions dont vous n'êtes pas particulièrement fier(e) aujourd'hui, il n'est pas nécessaire de vous décrire de manière négative en parlant de quelque chose qui n'a peut-être plus rien à voir avec la personne que vous êtes aujourd'hui.

Si au cours de votre adolescence ou durant vos études vous aviez pour habitudes de multiplier les conquêtes, il n'est pas nécessaire de révéler cette partie de votre passé.

Cela risque en effet de susciter méfiance et jugement sur vous et de l'insécurité pour votre partenaire.

Le passé appartient au passé alors n'oubliez pas que le choix de communiquer les informations vous concernant vous appartient.

89. Respecter la vie privée de votre partenaire

Lorsqu'un couple décide d'habiter ensemble tous les effets personnels de chacun se retrouvent sous le même toit. Il est possible que votre conjoint ait conservé des lettres d'amour d'une relation passée ou des photos dans une boîte.

Ainsi, même si l'envie vous en prend, il est préférable de ne pas toucher à cette boite qui représente le jardin secret de votre conjoint.

Il ou elle a choisi de vivre avec vous mais ce n'est pas pour autant que vous détenez le droit de lui détruire ses souvenirs en jetant la boite à la poubelle si le contenu vous déplait.

90. Ne pas laisser de place aux abus

Même si vous aimez votre compagnon ou votre compagne plus que tout au monde, il est essentiel de ne jamais laisser des abus s'installer dans une relation.

Que ce soient des abus émotionnels, physiques ou verbaux, vous ne devez pas laisser ce genre de relations s'instaurer dans votre couple.

Si votre conjoint se montre agressif(agressive) envers vous en vous frappant ou en vous dénigrant verbalement, vous devez agir.

Vous pouvez demander conseil à un spécialiste du couple et si votre compagnon refuse de se rendre à un rendez-vous il faut partir pour le faire réagir.

Un couple épanoui est un couple où règne le respect de chacun. Il ne faut pas vous laisser entrainer dans une relation abusive en vous disant que les choses s'arrangeront.

Un mauvais comportement ne s'arrange pas seul car il est souvent stimulé par une impossibilité de l'agresseur à communiquer autrement. Guérir un couple requiert de savoir accepter de l'aide extérieure.

91. Faire le bilan de sa relation

Faire le bilan de sa relation demande une certaine habilité à comprendre ce qui va et qui ne va pas. Cela demande aussi d'être honnête envers soi-même pour réaliser quels sont les points à améliorer.

Si quelque chose vous manque ou vous dérange il est important de l'identifier.

Pour que votre relation soit une relation épanouie dans le temps, il est important de prendre le temps d'y réfléchir car votre bonheur en dépend.

92. L'herbe n'est pas plus verte ailleurs

Les couples qui rencontrent des difficultés ont parfois tendance à croire que rencontrer une autre personne les rendrait plus heureux.

Ils pensent qu'en passant à une autre personne en faisant table rase du passé, ils s'épanouiront davantage.

Cela est une illusion car même si vous souhaitez entamer une relation avec une autre personne cela ne signifie pas que d'autres problèmes n'apparaitront pas dans le futur.

Le début d'une relation est toujours intense donnant le sentiment d'union parfaite au couple. Le sentiment d'être sur la même longueur d'ondes permet au couple se comprendre mutuellement et de se sentir bien.

Le début de chaque relation est comme une feuille vierge sans rature.

Au fur et à mesure qu'une relation avance dans le temps des obstacles surviennent.

Travailler ensemble à les surmonter vous permettra de renforcer votre relation. Cela est possible si vous ne croyez pas que l'herbe est plus verte ailleurs.

Il vous faut bien garder à l'esprit qu'il est important d'apprécier ce que vous avez travaillé durement à bâtir. Envier les relations des autres ou désirer trouver un nouveau conjoint correspondant à vos critères est une illusion basée sur votre désir de fuir vos difficultés.

93. Tenir un journal intime

Ecrire un journal intime où vous consignerez les sentiments que vous éprouvez pour votre conjoint et les qualités que vous appréciez chez lui ou chez elle vous aidera à garder en mémoire les bons souvenirs du passé.

Cela vous aidera à puiser en vous la force nécessaire pour vous battre le jour où un obstacle apparaitra.

Votre journal peut être un journal numérique que vous garderez secret à l'aide de mots de passe bien loin des regards indiscrets.

94. Avoir l'esprit ouvert et rester flexible

Une relation amoureuse implique d'avoir des choix à faire en commun ou de trouver des solutions ensemble à des problèmes.

Il est possible qu'au cours de vos discussions sur des sujets importants tels qu'un déménagement, la scolarité des enfants des sujets vous opposent.

Il convient alors de savoir écouter le point de vue de l'autre et d'accepter qu'il puisse avoir des idées différentes.

Sans nécessairement être obligé(e) de toutes les accepter, il est important de montrer à votre partenaire que vous l'écoutez et que vous le comprenez.

Vous n'y gagnerez pas en tentant de passer en force en dénigrant les idées de votre conjoint.

Il est également essentiel que vous émettiez vos propres idées pour que votre partenaire puisse entendre votre point de vue.

C'est une fois que les deux partenaires ont pu émettre chacun leurs idées que les solutions peuvent être trouvées ensemble.

95. Ne pas trouver de fausses excuses

Pour qu'une relation dure dans le temps, il est indispensable de rester honnête l'un envers l'autre.

Les fausses excuses agacent et donnent l'impression à l'autre partenaire de devoir quémander de l'aide.

Ainsi, si vous avez promis à votre partenaire de faire le ménage ou de tondre le gazon mais que vous étiez trop fatigué en rentrant du travail dîtes le avec honnêteté.

Il est préférable de dire que l'on se sentait trop fatigué que d'inventer que votre patron vous a retenu en réunion si ce n'est pas le cas.

Les habitudes d'honnêteté renforceront votre attitude de partenaire loyal sur lequel votre conjoint peut compter.

96. Apporter de la spiritualité dans votre relation

Les statistiques prouvent que les couples qui passent du temps dans le même établissement religieux (église, mosquée, temple…) ont des relations plus fortes et plus soudées.

Ces couples ont pour point commun de baser leur relation sur leur croyance et de vivre selon le respect des préceptes religieux qui leurs sont enseignés.

Pratiquer un culte ensemble est un moyen de renforcer vos valeurs communes (famille, fidélité, respect de l'autre, écoute, aide à la communauté…) et de trouver du soutien lorsque vous en ressentez le besoin.

97. Apprendre à gérer une relation s'apprend

De plus en plus de couples n'hésitent plus à faire appel à des coachs en relations ou à des conseillers conjugaux lorsqu'ils ressentent le besoin d'être aidés.

Apprendre à gérer les problèmes de communication dans un couple s'apprend.

Les conseils prodigués sont généralement d'une aide très précieuse pour apprendre à avoir une relation saine au quotidien.

98. Ne pas mélanger vie privée et travail

Il est important de séparer le travail et la vie privée. Une fois rentrés chez vous, il est essentiel de vous déconnecter en coupant vos appareils et votre esprit.

Cela signifie qu'il vous faut éviter de ramener systématiquement toute conversion à votre travail lorsque vous êtes avec votre conjoint.

Sauf si quelque chose vous préoccupe énormément comme une dispute avec un collègue et que vous ressentez le besoin d'en parler à votre conjoint pour qu'il comprenne pourquoi vous êtes de mauvaise humeur, il est important de dissocier le travail et la vie à la maison.

Une fois rentrés chez vous, il faut vous concentrer sur le moment présent et savoir apprécier votre vie de famille.

Gardez à l'esprit que l'on travaille pour vivre, on ne vit pas pour travailler.

99. Encourager les amitiés

Les couples ont parfois des difficultés à nouer des amitiés en dehors du couple.

Or, avoir des amis est important pour l'épanouissement du couple pour que celui-ci ne tourne pas que sur lui-même au risque de s'asphyxier.

Ainsi laisser un homme fréquenter des amis hommes et une femme fréquenter ses amies femmes permettra un moment de détente en dehors du couple.

L'individu se retrouvera en tant que personne et pas seulement en tant qu'autre moitié de son conjoint.

Ainsi si votre partenaire souhaite rejoindre ses copains au club de natation une fois par semaine ou rejoindre des copines pour une sortie ciné cela devrait être encouragé.

Laisser l'autre s'épanouir en dehors du couple permettra à votre conjoint de nourrir ses conversations avec vous.

Passer un peu de temps sans son conjoint permet de mieux le retrouver par la suite.

100. Respecter les secrets qui vous sont confiés

Il est important de respecter les confidences faites par votre partenaire pour préserver la confiance.

Ainsi si votre conjoint vous confie un secret, il faudra être capable de le garder pour vous et ne pas le divulguer à la première occasion venue.

Révéler un secret qui vous est confié peut créer de la souffrance dans votre relation car votre partenaire considéra que vous l'avez trahi(e).

Une relation heureuse est une relation digne de confiance.